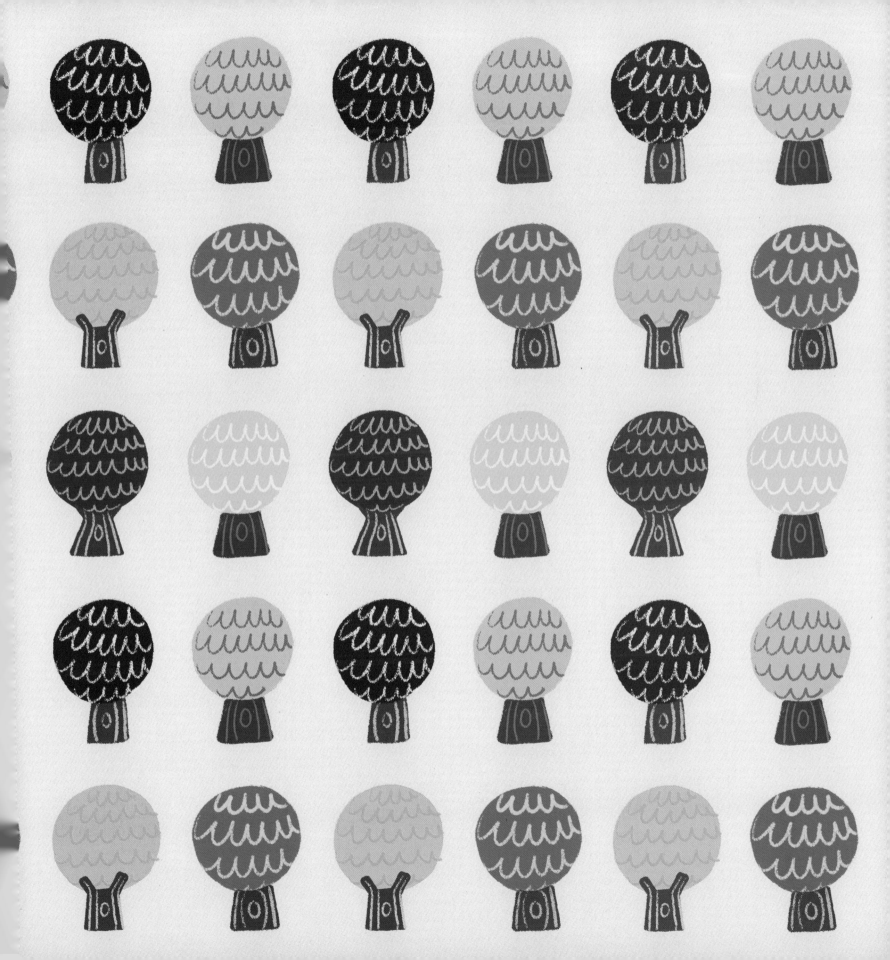

rily.co.uk

Cyhoeddwyd gan Rily Publications Ltd 2021
Rily Publications Ltd, Blwch Post 257, Caerffili CF83 9FL

ISBN 978-1-84967-570-3

Cyhoeddwyd gyntaf yn Saesneg yn 2019 o dan y teitl *The Wheels on the Bus*
gan Imagine That Publishing Ltd, Tide Mill Way, Woodbridge, Suffolk, IP12 1AP

Gan mai stori ar ffurf mydr ac odl yw hon, addasiad yn hytrach na chyfieithiad yw'r testun Cymraeg.
As this is a story with rhyming text, the Welsh text is an adaptation rather than a translation.

Mae'r cyhoeddwr yn cydnabod
cefnogaeth ariannol Cyngor Llyfrau Cymru.

Mae'r Olwynion ar y Bws

The Wheels on the Bus

Mae'r olwynion ar y bws yn troi a throi, troi a throi, troi a throi.

The wheels on the bus go round and round, round and round, round and round.

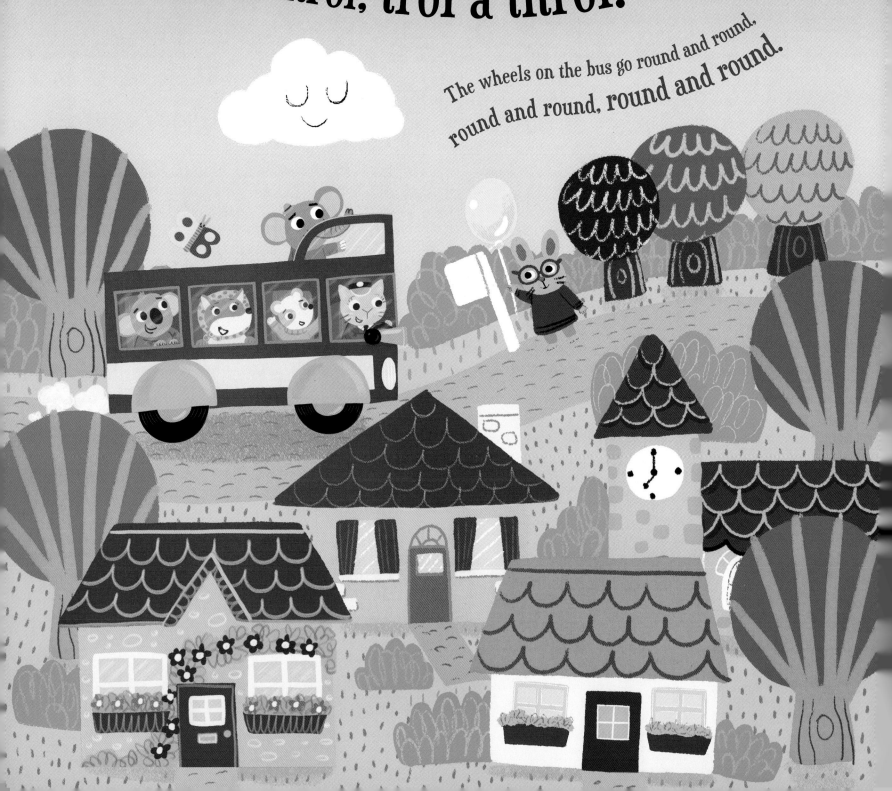

Mae'r olwynion ar y bws yn troi a throi, **trwy y dydd!**

The wheels on the bus go round and round, all through the town!

The wipers on the bus go swish, swish, swish,
swish, swish, swish, swish, swish.

Mae'r weipars ar y bws yn mynd swish, swish, swish,
swish, swish, swish, swish, swish, swish.

The wipers on the bus go swish, swish, swish,
all through the town!

Mae'r weipars ar y bws yn mynd swish, swish, swish,
trwy y dydd!

Mae'r corn ar y bws yn mynd bîp, bîp, bîp, bîp, bîp, bîp, bîp, bîp, bîp.

The horn on the bus goes beep, beep, beep, beep, beep, beep, beep, beep, beep.

Mae'r corn ar y bws yn mynd bîp, bîp, bîp, trwy y dydd!

The horn on the bus goes beep, beep, beep, all through the town!

Mae'r drysau ar y bws yn agor a chau,
agor a chau, agor a chau.

The doors on the bus go open and shut,
open and shut, open and shut.

Mae'r drysau ar y bws yn agor a chau,
trwy y dydd!

The doors on the bus go open and shut,
all through the town!

Mae'r gloch ar y bws yn mynd ding, ding, ding, ding, ding, ding, ding, ding, ding.

The bell on the bus goes ding, ding, ding,
ding, ding, ding, ding, ding, ding.

Mae'r gloch ar y bws yn mynd ding, ding, ding, trwy y dydd!

The bell on the bus goes ding, ding, ding, all through the town!

Mae'r mwncis ar y bws yn mynd cleber, cleber, cleber, cleber, cleber, cleber, cleber, cleber, cleber, cleber.

The monkeys on the bus go chatter, chatter, chatter, chatter, chatter, chatter, chatter, chatter.

Mae'r mwncis ar y bws yn mynd cleber, cleber, cleber, trwy y dydd!

The monkeys on the bus go chatter, chatter, chatter, all through the town!

Mae'r anifeiliaid ar y bws yn mynd lan a lawr,
lan a lawr, lan a lawr.

The animals on the bus go up and down,
up and down, up and down.

Mae'r anifeiliaid ar y bws yn mynd lan a lawr,
trwy y dydd!

The animals on the bus go up and down,
all through the town!

Mae'r arian ar y bws yn mynd clinc, clinc, clinc, clinc, clinc, clinc, clinc, clinc, clinc.

The money on the bus goes clink, clink, clink, clink, clink, clink, clink, clink.

Mae'r arian ar y bws yn mynd clinc, clinc, clinc,
trwy y dydd!

The money on the bus goes clink, clink, clink,
all through the town!

Mae'r gyrrwr ar y bws yn dweud 'Eisteddwch i lawr, Eisteddwch i lawr, Eisteddwch i lawr'.

The driver on the bus goes move on back, move on back, move on back.

Mae'r gyrrwr ar y bws yn dweud 'Eisteddwch i lawr',
trwy y dydd!

The driver on the bus goes move on back,
all through the town!

Mae'r cŵn bach ar y bws yn mynd wff, wff, wff, wff, wff, wff, wff, wff, wff, wff.

The puppies on the bus go woof, woof, woof, woof, woof, woof, woof, woof, woof.

Mae'r cŵn bach ar y bws yn mynd wff, wff, wff,
trwy y dydd!

The puppies on the bus go woof, woof, woof,
all through the town!

Mae'r mamis ar y bws yn dweud 'Ust, ust, ust, ust, ust, ust, ust, ust, ust.'

The mummies on the bus go shh, shh, shh, shh, shh, shh, shh, shh, shh.

Mae'r mamis ar y bws yn dweud 'Ust, ust, ust . . .'

The mummies on the bus go shh, shh, shh . . .

...trwy y dydd!

...all through the town!